LA SÉRIE
QUE SIGNIFIE . . .

CHEF DE LA PUBLICATION	Joseph R. DeVarennes
DIRECTEUR DE LA PUBLICATION	Kenneth H. Pearson
CONSEILLERS	Roger Aubin Robert Furlonger
DIRECTRICE DE LA RÉDACTION	Marie-Josée Charland
CONSEILLÈRE POUR LA SÉRIE	Sarah Swartz
RÉDACTION	Michel Edery Maryse Gaouette Catherine Gautry Anne-Marie Trépanier
COORDINATRICE DU SERVICE DE RÉDACTION	Jocelyn Smyth
CHEF DE LA PRODUCTION	Ernest Homewood
ASSISTANTS À LA PRODUCTION	Kathy Kishimoto Douglas Parker
CHEF ADMINISTRATIF	Clare Adam

Données de catalogage avant publication (Canada)

Schemenauer, Elma.
  Que signifie—être un ami

(Que signifie ; 1)
Traduction de: What it means to be—a friend.
ISBN 0-7172-2368-X

1. Amitié — Ouvrages pour la jeunesse.
I. Pileggi, Steve.   II. Titre.
III. Titre: Être un ami.   IV. Collection.

BJ1533.F8S3414 1987   j158'.25   C87-094923-3

QUE SIGNIFIE...

ÊTRE

AMI

Histoire d'
Elma Schemenauer

Illustrations de
Steve Pileggi

Être ami, c'est jouer ensemble.

Pascale et Simon couraient l'un après l'autre autour d'un pommier. Ils jouaient au chat. Lorsque Simon réussit à toucher l'ombre de Pascale, il cria: «À toi d'être le chat, maintenant!»

Et Pascale se mit à courir après Simon pour rejoindre son ombre. Elle le poursuivait autour de l'arbre. Vite, toujours plus vite!

Pascale et Simon vivent dans des maisons voisines. Ils jouent très souvent ensemble. Simon et Pascale sont de bons amis.

Tu peux jouer au chat et à beaucoup d'autres jeux avec un ami. Laisser la chance à tous tes amis de jouer, à tour de rôle, c'est amusant. Être ami, c'est être juste.

Un ami aime presque toutes les mêmes choses que toi.

«Regarde-moi. Je suis un oiseau!» cria Annie. Elle s'élança sur la glissade de l'école en battant des bras.

«Et moi, je suis un vaisseau spatial!» cria Sarah.

«Attention, je vais atterrir», dit-elle en s'élançant sur la glissade.

Bientôt, c'était l'heure de la collation. Annie et Sarah s'assirent ensemble. Elles aimaient toutes deux les raisins. Annie partagea ses raisins avec Sarah.

Annie et Sarah aiment toutes deux glisser et manger des raisins. Il y a bien des choses qu'elles aiment toutes les deux. Sarah et Annie sont de bonnes amies.

Tu aimes probablement bien des choses que tes amis aiment aussi. C'est un peu pour cette raison que vous êtes devenus des amis.

Être ami, c'est s'entraider et se réconforter.

Vroom! Vroom! Vroom! Sébastien et Nicolas jouaient avec leurs camions. Tout à coup, un grand garçon arriva et lança du sable sur Nicolas. Il ramassa le camion vert de Nicolas, puis il le lança dans les buissons et s'enfuit en riant.

«Ne pleure pas, Nicolas», dit Sébastien en lui mettant la main sur l'épaule. Il aida Nicolas à secouer le sable de ses vêtements. Ensuite, Sébastien aida Nicolas à trouver son camion.

Sébastien et Nicolas s'aident l'un et l'autre. Ils sont gentils l'un envers l'autre. Sébastien et Nicolas sont des amis.

Être ami signifie s'entraider. Un ami est quelqu'un qui t'aide lorsque tu t'es fait mal, que tu as perdu quelque chose ou que tu as de la difficulté à faire un travail.

Un ami est attentif à ce qui t'arrive.

Simon et Pascale grimpaient dans le pommier devant la maison de Pascale. «Plus haut! Grimpe plus haut, Simon!» disait Pascale. «Grimpons et allons cueillir ces belles grosses pommes rouges dans le haut de l'arbre.»

Simon n'avait pas l'air content. «Ta mère a dit qu'on ne devait pas grimper plus haut que la branche avec la cabane à oiseaux.»

«Eh bien! Moi, j'y vais quand même», dit Pascale. «Pousse-toi, Simon!»

Simon cria: «Non Pascale! Tu pourrais tomber et te casser une jambe.»

Pascale grimpa quand même sur une branche plus haute dans le pommier. Puis, elle grimpa sur une branche encore plus haute.

«Je vais le dire à ta mère, Pascale», dit Simon en commençant à descendre de l'arbre.

Pascale arrêta de grimper. «Si tu le dis à ma mère, tu n'es plus mon ami, Simon.»

«Oh oui! Simon est ton ami», répondit la mère de Pascale en sortant de la maison pour ramasser le courrier. «Pascale, descends de là tout de suite. Tu devrais être heureuse d'avoir un ami comme Simon. Il ne veut pas que tu te fasses mal.»

Parfois, tes amis ont de bonnes raisons pour ne pas être d'accord avec toi. Il ne faut pas prévenir un adulte seulement dans le but d'attirer l'attention ou de causer des ennuis à tes amis. Mais, si une situation est dangereuse, tu devrais demander l'aide d'un adulte.

Être ami, c'est être juste.

Dring! Dring! La camionnette de friandises arrivait.
Paul cherchait son argent. Il le trouva enfin et
courut jusqu'au coin de la rue.

Quand Paul arriva, il y avait beaucoup d'enfants
qui faisaient la file pour acheter une crème glacée.
Paul se faufila dans la file et passa devant
Sébastien. «Je dois passer devant toi, Sébastien»,
dit-il. «Mon frère m'attend pour aller jouer au
soccer.»

«Ce n'est pas juste, Paul», dit Caroline, qui se
trouvait maintenant derrière eux. «Sébastien était là
avant toi.»

Paul était tellement occupé à penser à lui et à ses
projets qu'il passa devant son ami.

«Je suis pressé moi aussi, Paul», dit Sébastien en regardant son ami droit dans les yeux. «Mon grand frère m'attend pour m'amener au parc.»

«Mais je ne pouvais pas trouver mon argent», répondit Paul. «Si je l'avais trouvé, j'aurais été ici avant toi.»

«Allons, Paul. Sois juste», lui dit Caroline. «Tu ne voudrais pas que je passe devant toi, n'est-ce pas?»

Paul réfléchit un instant. «Non, je n'aimerais pas ça. Excuse-moi, Sébastien», demanda-t-il lentement.

Paul et Sébastien se trouvaient maintenant devant la porte de la camionnette. Paul laissa passer son ami avant lui.

Un ami, c'est juste. Parfois tu es trop occupé à penser à toi et tu peux oublier ton ami. Si tu fais cette erreur, essaie de penser à un moyen d'arranger les choses. Rappelle-toi que les autres sont tout aussi importants que toi.

Être ami, c'est partager.

Simon pleurait. En courant pour rejoindre la camionnette, il avait perdu son argent. Maintenant, il ne pouvait plus s'acheter une crème glacée.

«Quelle saveur préfères-tu, Simon?» lui demanda son amie Pascale. «Le chocolat», lui répondit Simon en s'essuyant les yeux.

Pascale avait de l'argent pour une seule friandise. Lorsque son tour arriva, elle acheta une tablette glacée au chocolat. Elle la partagea en deux en faisant très attention. Puis elle en donna la moitié à Simon. Cette tablette glacée était la meilleure que Simon et Pascale avaient jamais mangée.

Être ami, c'est partager tes jouets, tes crayons et tes papiers. Et quand tu partages quelque chose de spécial avec un ami, comme une tablette glacée, tu te sens heureux parce que tu as fait plaisir à un ami.

Être ami, c'est partager ses idées et ses sentiments.

Un jour, Caroline se sentait triste lorsqu'elle arriva à l'école. «Je me sens toute seule. Mon papa et ma maman sont partis en voyage et ils seront partis longtemps», dit-elle.

«Je suis désolée que tu te sentes seule», lui dit Sophie.

«Je sais ce que tu ressens. L'été dernier, ma maman est allée à l'hôpital et je me sentais toute seule moi aussi.»

Sophie réfléchit quelques instants. «On pourrait peut-être écrire une lettre à tes parents, Caroline?» proposa Sophie.

Les amis partagent ce qu'ils ressentent quand ils sont heureux et aussi quand ils sont malheureux.
Lorsqu'un ami se sent triste, tu devrais lui dire que tu es désolé. Puis, essaie de penser à ce que tu pourrais faire pour le rendre plus heureux.

Parfois, même les meilleurs amis se mettent en colère.

Annie et Sarah promenaient leurs poupées. Juste pour s'amuser, Annie poussa Sarah en bas du trottoir. Juste pour s'amuser, Sarah poussa Annie.

Puis Annie poussa Sarah et Sarah poussa Annie, et bientôt, Annie se fâcha. «Tu as l'air bête, Sarah», dit-elle. «Ta poupée est bête, elle aussi.»

Sarah se mit à pleurer. Elle attrapa la poupée d'Annie et la lança dans la boue. Le joli petit manteau de la poupée était tout taché. «Tu n'es plus mon amie», cria Annie. Les deux filles ramassèrent leurs poupées et partirent chacune de leur côté en pleurant.

Se bousculer peut parfois être amusant, en autant que tes amis trouvent cela amusant, eux aussi. Si un ami commence à devenir triste ou se met en colère, c'est qu'il est temps d'arrêter.

**Si un ami et toi vous êtes disputés,
vous pouvez toujours vous excuser.**

Ce n'est pas gentil d'avoir lancé la poupée d'Annie
dans la boue, tu devrais t'excuser», dit la mère de
Sarah lorsque celle-ci rentrait.

«Je ne veux pas», lui répondit Sarah en pleurant.

Mais quelques jours plus tard, Sarah commença à
s'ennuyer d'Annie. Elle décida d'aller chez Annie et
sonna à la porte. «Veux-tu venir jouer avec moi?»
lui demanda-t-elle. «Je m'excuse d'avoir sali ta
poupée.»

«Et moi, je regrette d'avoir dit que tu étais bête»,
lui répondit Annie. «Allons au parc.»

«D'accord, mais on ne se bousculera pas», dit
Sarah.

«D'accord», lui répondit Annie.

Si vous étiez fâchés, le mieux est de vous excuser et
de parler de ce qui vous a fait mettre en colère l'un
contre l'autre. C'est aussi une bonne idée de penser
aux façons d'éviter de vous fâcher une autre fois.

Un ami est heureux quand tu es heureux.

«Hourra! Je vais être dans la parade!» criait Caroline. «Ma maman va m'aider à fabriquer un costume. Je porterai un beau grand drapeau. Et je vais jouer de mon accordéon. Il y aura des prix et tout!»

Sophie aurait bien aimé être dans la parade elle aussi. Mais elle voulait aussi que son amie s'amuse. «J'espère que tu gagneras un prix», dit-elle. «Je sais que tu joues très bien de l'accordéon.»

Sophie réfléchit un instant, puis elle dit: «Je pourrais demander à mon père de te laisser embarquer dans la petite voiture qu'il m'a faite. Tu pourrais même y accrocher un drapeau.»

«Oh! Sophie, ce serait merveilleux!» lui dit Caroline. Et ses yeux brillaient de joie.

Être ami signifie être heureux quand tes amis sont heureux. Tu te rappelleras que des choses excitantes t'arrivent à toi aussi.

Les amis se font confiance.

C'était l'heure du souper, et Caroline n'avait pas encore ramené la petite voiture de Sophie.

«J'espère qu'elle n'a pas brisé ta petite voiture», dit le père de Sophie. «J'ai travaillé fort pour la construire.»

«Oh! je sais que Caroline en prend soin», lui répondit Sophie. «Elle est mon amie et je lui fais confiance.»

Tout de suite après le souper, Caroline arriva chez Sophie. «Je m'excuse d'être en retard», dit-elle. «Maman et moi avons été reconduire grand-papa chez lui après la parade. C'est pour ça que je ne suis pas arrivée avant. Voici ta voiture, Sophie, en parfait état.»

Les amis se font confiance. Si tu es un bon ami, les gens peuvent te faire confiance parce qu'ils savent que tu prendras soin de leurs biens. Ils savent aussi qu'ils peuvent compter sur toi lorsque tu leur as promis quelque chose.

Un ami apprécie ce que tu fais pour lui.

Sébastien était malade. Son ami Nicolas lui apporta un jeu pour qu'ils puissent jouer ensemble. Mais Sébastien était tellement occupé à lire ses bandes dessinées qu'il remarqua à peine Nicolas.

Le jeu de Nicolas contenait des animaux de zoo. Il montra quelques morceaux du jeu à Sébastien. Il y avait un lion qui avait l'air féroce et un chameau avec deux bosses sur le dos. Il y avait aussi un crocodile qui montrait ses grandes dents.

«Les animaux ne m'intéressent pas maintenant», dit Sébastien. «C'est l'espace qui m'intéresse. Mon livre parle de monstres de l'espace!»

Nicolas se sentit triste. Il laissa son jeu sur le lit de Sébastien et s'en alla chez lui.

Pendant trois jours, Nicolas n'alla pas voir Sébastien. Enfin, Sébastien appela Nicolas. «Pourquoi ne viens-tu pas me rendre visite? Je suis encore malade, tu sais.»

«Tu ne voulais pas jouer avec moi la dernière fois que je suis allé te voir», lui répondit Nicolas d'une voix boudeuse.

«Je m'excuse», lui dit Sébastien. «Eh! merci pour le jeu que tu as apporté. J'y ai joué avec ma mère. Il est vraiment captivant. Pourquoi ne viens-tu pas jouer avec moi?»

Quand quelqu'un fait quelque chose de gentil pour toi, il est mieux que tu le remercies tout de suite. Si tu oublies, tu rendras probablement ton ami malheureux. Alors assure-toi de le remercier aussitôt que tu t'en rappelleras.

Un ami te montrera de nouvelles choses.

François était nouveau à l'école. Au début, il se sentait triste et seul parce qu'il n'avait pas encore d'amis. Un jour, les parents de François lui permirent d'apporter son robot à l'école.

«Regarde le robot de François», dit Sophie. «Il est presque aussi grand que moi.»

«Viens t'asseoir avec moi, François», lui demanda Paul.

«Je veux voir ton robot. Regarde la lumière sur le dessus de sa tête. Elle sert à quoi, la lumière?»

François savait beaucoup de choses sur les robots. Il pouvait faire marcher et parler son robot. Il expliqua comment son robot était fait et à quoi servait la lumière. Il montra à tous les enfants comment fonctionnait son robot.

Montrer quelque chose d'intéressant peut être une bonne façon de te faire de nouveaux amis. Si les gens voient que tu veux partager avec eux, ils sauront que tu seras un bon ami.

Un ami t'aime pour ce que tu es.

Le lendemain, François n'apporta pas son robot avec lui.

Comme les enfants montaient dans l'autobus pour rentrer à la maison, François vit une place libre à côté de Paul.

«Est-ce que je peux m'asseoir avec toi?» demanda-t-il.

«Non, je ne veux pas que tu t'asseois ici, François», lui dit Paul.

Quand François avait son robot, Paul voulait être son ami. Mais quand François n'avait pas son robot, Paul n'agissait pas comme un ami.

À ce moment-là, Sophie monta dans l'autobus. «Viens t'asseoir avec moi, François», cria-t-elle. «Je vais jouer au hockey demain. Peux-tu venir?»

Tes vrais amis t'aiment pour toi-même, pas pour ce que tu as. Tes amis ne t'aiment pas parce que tu as beaucoup de jouets. Ils t'aiment pour ce que tu es.

C'est amusant de se faire de nouveaux amis.

«Bravo François!» criait Sophie en patinant. «Tu as bien joué. Tu apprends vite.»

«Eh! François», lui dit Nicolas après la partie de hockey. «Tu pourrais peut-être venir chez moi demain. Demande-le à tes parents.»

En peu de temps, François s'était fait beaucoup d'amis dans l'équipe de hockey—comme Sophie et Nicolas. Et bientôt, il devint l'ami de Sébastien et de Caroline.

Souvent, lorsque des nouveaux enfants arrivent dans ton quartier, ils n'ont personne avec qui jouer. Tu pourrais être gentil et leur demander de venir jouer avec toi et tes amis. Tu peux les aider à se faire de nouveaux amis, et tu peux te faire de nouveaux amis toi aussi.

Il y a toujours de la place pour un autre ami.

«Vite! Monte dans le vaisseau spatial!» criait Nicolas.

«Nous sommes les policiers de l'espace. Nous allons attraper des pirates de l'espace.» Nicolas et Paul coururent vers la grosse boîte de carton. Ils l'avaient transformée en vaisseau spatial.

À ce moment-là, François arriva. «Est-ce que je peux monter dans le vaisseau spatial, moi aussi? Je pourrais être votre navigateur.»

«Il a raison», dit Nicolas. «Il pourra nous aider à trouver notre chemin. Emmenons-le.»

«D'accord, François», dit Paul. «Tu seras notre navigateur aujourd'hui. Monte.»

«5-4-3-2-1 . . . C'EST PARTI!» cria François.

Même si tu préfères jouer avec un ami en particulier, tu peux jouer avec d'autres enfants aussi. Tu peux avoir beaucoup d'amis.

Les amis sont très importants.

C'était l'anniversaire de François. La mère de François avait apporté un énorme gâteau d'anniversaire à l'école pour qu'il le partage avec tous ses nouveaux amis. Comme François était heureux! «Je n'aimais pas cette école au début», dit-il. «Maintenant je l'aime beaucoup parce que j'ai beaucoup d'amis.»

    «Joyeux anniversaire . . . », chantèrent les amis de François.

Tu n'as pas besoin d'avoir beaucoup d'amis pour être heureux, mais tout le monde a besoin d'amis. Voici des choses que tu peux faire pour t'aider à te faire des amis et à les garder.
- Partage avec les autres.
- Écoute les autres.
- Sois juste et sois bon joueur.
- Aide les autres.

Imprimé aux États-Unis